A Coursebook of Foreign Calligraphy

外文书法教程

何延超　编著

华南理工大学出版社
SOUTH CHINA UNIVERSITY OF TECHNOLOGY PRESS
·广州·

图书在版编目（CIP）数据

外文书法教程/何延超编著. —广州：华南理工大学出版社，2018. 1
ISBN 978 - 7 - 5623 - 5547 - 2

Ⅰ. ①外…　Ⅱ. ①何…　Ⅲ. ①外文 - 书法 - 教材　Ⅳ. ①J293

中国版本图书馆 CIP 数据核字（2018）第 019969 号

外文书法教程
何延超　编著

出 版 人： 卢家明
出版发行： 华南理工大学出版社
（广州五山华南理工大学 17 号楼，邮编 510640）
http：//www. scutpress. com. cn　　E-mail：scutc13@ scut. edu. cn
营销部电话：020 - 87113487　87111048（传真）
策划编辑： 吴翠微
责任编辑： 张　楚　陈　蓉
印 刷 者： 佛山市浩文彩色印刷有限公司
开　　本： 890mm × 1240mm　1/16　**印张：** 3. 5　**字数：** 69 千
版　　次： 2018 年 1 月第 1 版　2018 年 1 月第 1 次印刷
定　　价： 18. 90 元

作者简介

何延超，1945年出生于湖北襄樊，祖籍河南信阳。

毕业于焦作矿业学院（现河南理工大学），工业电气自动化专业。曾任华南理工大学国家大学科技园自动化高级工程师，在职期间曾荣获华南理工大学第一届外文书法大赛特等奖。

退休后致力于外文书法的研究和教学工作。2010年开始探索用中国传统的毛笔书写英文；2014年10月成功研制出外文书法笔并于2017年获得国家发明专利；2015年11月成功举办了“外文书法在中国”的展览，用毛笔书写《弟子规》的英文花体版本，向世人展示了外文书法艺术的魅力，吸引了佛山电视台、南方电视台、珠江时报等多家媒体的采访和报道。

诚挚期望与爱好英文书法的读者沟通与交流！

电子邮箱：heyanchao1125@163.com

联系电话：18925992153

前　言

中国是有五千年历史的文明古国，汉字书法作为中华文明的基本要素之一，博大精深，源远流长。一直以来，中国人都以写好汉字为荣。而改革开放以来，随着经济的高速发展，对外交流日益频繁，学好英语、写好英文也得到了越来越多人的重视。例如余佩安老师、闵志平老师、朱淑贤老师、马建强老师、李维生老师、张鸣天老师、刘雪莹老师等分别著书立说，为我国外文书法的发展做出了贡献。

在这里还需要特别提到的一个人，就是荆门大学的张双武教授。为了推动外文书法在中国的开展，他编著了《英文书法指南》《世纪英文经典草书》《实用英文书法字帖——意大利体》等优秀的外文书法作品，并在大学里率先开展了英文书法大赛，退休后仍致力于推动外文书法学习活动在中国的开展。他牵头组建了中国外文书法联谊会，从 2016 年开始，每年在国内举办一次英文书法展和英文书法大赛。

此外，华南理工大学、北京理工大学、安徽理工大学、济南大学、重庆大学、天津工业大学等院校相继在校内举办了外文书法大赛。

笔者对外文书法的爱好和兴趣源于刚上初中学习俄文时的第一份作业，当时在大学读外文专业的姐姐何延芳（曾任佛山市汾江中学副校长，现已退休）送给笔者一支蘸水笔并手把手教笔者写出了笔画可呈现粗细变化的漂亮的俄文，这份作业得到当时教授俄文的苏士范老师的表扬，还被拿到各个班展览……

英文和世界上许多文字一样，主要是以线条为基本特征。笔者经多年探索认为，要想写出线条粗细变化自然、美丽流畅、潇洒飘逸的线条文字，从书写工具来讲，蘸水笔为首选。但蘸水笔有它不可忽视的缺点，就是书写时要频繁蘸水，携带也不方便。笔者经多年努力研制出一种外文书法笔并获得“国家发明专利”，这种笔既有蘸水笔书写的流畅潇洒，又有钢笔的携带方便，现已和广州一制笔厂家合作进行外文书法笔小批量生产。与此同时，笔者也在努力探索用中国古老而传统的毛笔书写外文。毛笔通过中锋行笔和按、提的手法可实现笔画粗细的变化，使用不同规格的毛笔可写出不同规格大小的外文，从而使外文书法走出了爬格子的局限，像中文书法一样作为一种书法艺术登上了大雅之堂，供人观赏。

为了向世人展示出外文书法的新特征，以外文书法为载体弘扬中华民族的传统文化，把我国的外文书法培训与研究推向更深的层面，本人特著此书。

本书既可作为外文书法鉴赏，又可作为外文书法培训教材，教材部分所配英文是笔者前几年用蘸水笔写的。

在教材的编写过程中，理论上得到我国外文书法界的权威——荆门大学张双武教授的指导和帮助；精神上得到华南理工大学张海教授的支持和鼓舞。在这里向两位教授表示衷心的感谢！

鉴于笔者水平有限，疏漏之处在所难免，还望大家多多指正。

何延超

2016 年 9 月 28 日

目 录

第一部分　英文书法的三种基本字体

一、手写印刷体（楷书）

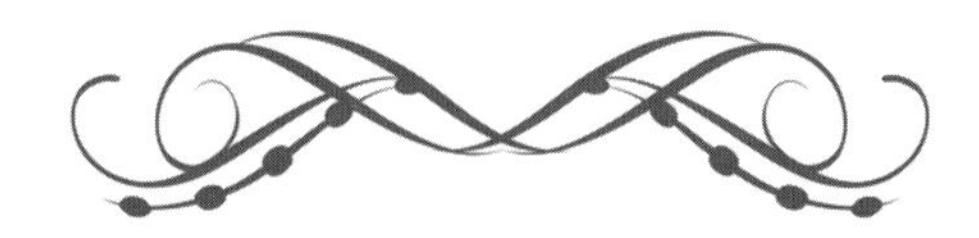

手写印刷体是一种在形体上与印刷体十分接近的书写字体，因此也称为“仿印刷体”。手写印刷体是英文的楷书字体，它是学习行书和其它快写字体的基础。

（一）字母的形态及基本笔顺

1. 大写字母和笔顺

大写字母的书写一般遵循先上后下、先左后右、先两边后中间的原则。

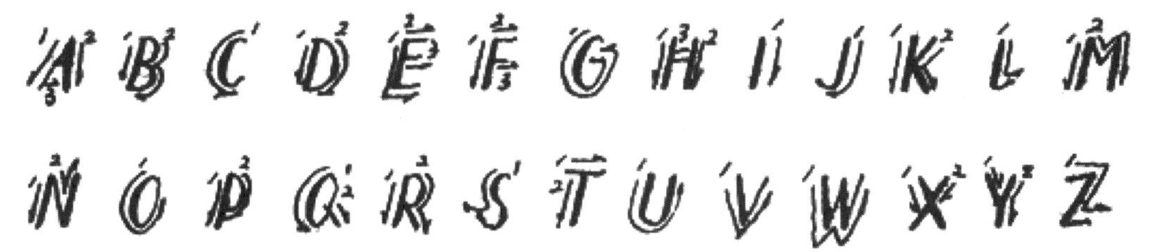

2. 小写字母和笔顺

a b c d e f g h i j k l m

n o p q r s t u v w x y z

小写字母的书写一般遵循先左后右、先主体后局部的原则。

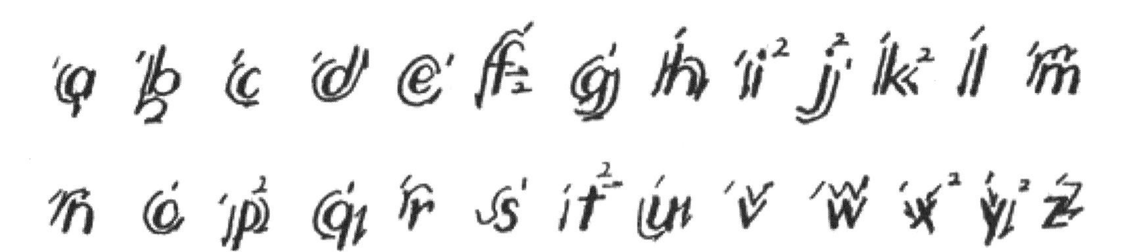

（二）大写字母书写规则

1. 格位规则

书写时，所有字母均占基准线（即下图所示虚线）以上 $1\frac{2}{3}$ 格，如下：

2. 笔画规则

（1）必须一笔或一笔可以完成的字母：

C G J L O S U V W Z I

（2）必须两笔或两笔可以完成的字母：

B D K M P Q R T X Y N

（3）必须三笔或三笔可以完成的字母：

A E F H N

（4）部分笔画必须保持平行的字母：

H M N U W E F Z

（三）小写字母书写规则

1. 格位规则

手写印刷体小写字母的格位可分为五组：a 组占满中格；b 组占基准线以上 $1\frac{2}{3}$格，与大写字母格位完全一致；g 组占两格不到底，约占基准线以下 $1\frac{2}{3}$格；i 和 t 格位相同，占基准线以上 $1\frac{1}{2}$格；j 上不“顶天”下不“着地”，约占 2 格。

a 组　b 组　g 组　i 组　j 组

2. 笔画规则

（1）必须一笔完成的字母：

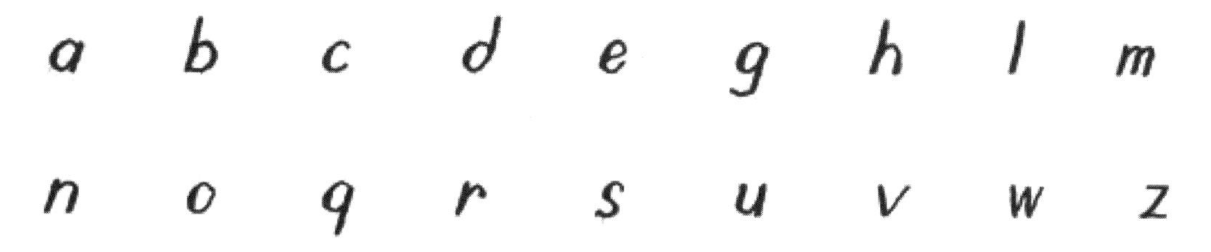

（2）必须两笔完成的字母：

f　i　j　k　p　t　x　y

（3）可以有两种写法的字母：

d d　g g　j j　t t　w w　y y

（四）手写印刷体范本

Australia Bostswana Colombia Dominica

Ethiopia Finland Germany Hungary

Iceland Jamaica Kiribati Lithuania

Malawi Norway Pakistan Romania

Slovakia Thailand Ukraine Vanuatu

Zimbabwe Cambodia Namibia Tanzania

China's Four Great Inventions

The four great inventions, the compass, gunpowder, papermaking and movable type printing, were ancient China's outstanding scientific and technological contributions to the world civilization.

二、意大利斜体（行书）

1964 年人民教育出版社就推出了《英文习字帖（斜体行书）》。意大利斜体，即斜体行书，是我国英语教学中采用的主要字体。它是手写印刷体的延伸与拓展，也是学习圆体和花体的基础，具有很重要的实用价值。

从意大利斜体的小写字母来看，大多都带一个小尾巴（即字母之间连写时的牵丝），这为连写快写提供了条件。如果说手写印刷体相当于中文毛笔书法中的楷书（除个别情况外，大多笔画之间只有前后呼应而无连写），而意大利斜体就相当于中文毛笔书法中的行书，很多笔画之间有牵丝的连接。

（一）字母形态及基本笔顺

1. 字母形态

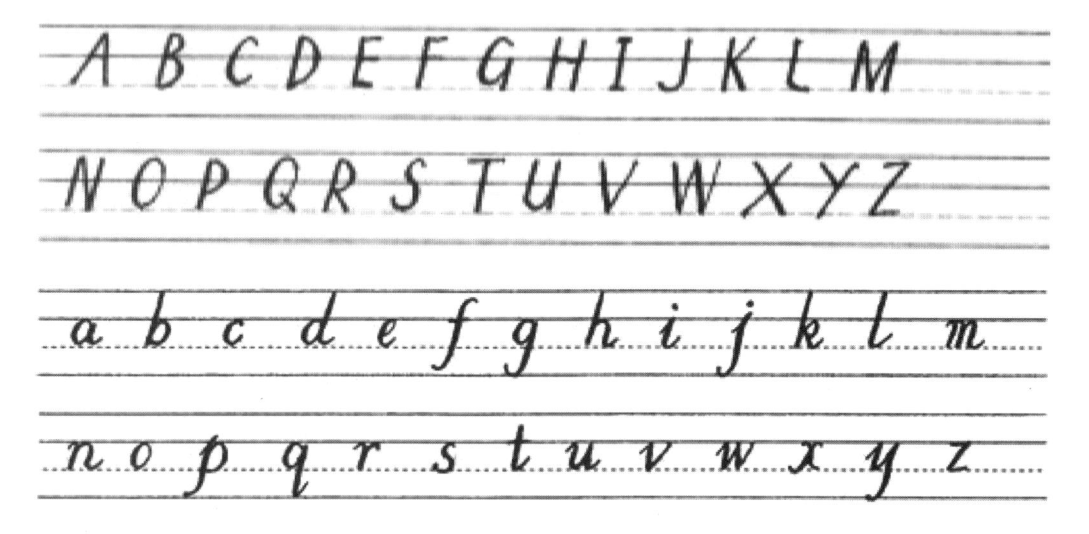

2. 基本笔顺

A B C D E F G H I J K L M
N O P Q R S T U V W X Y Z

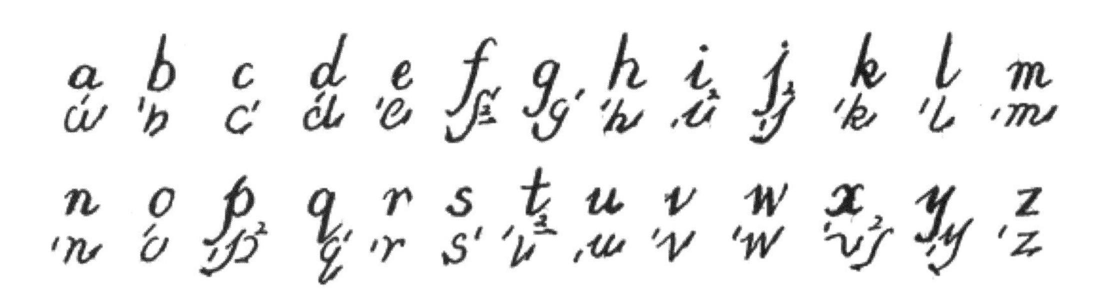

（二）书写规则

1. 格位规则

意大利体大写字母与手写印刷体大写字母格位完全相同，即在四线三格上的格位为基准线上 $1\frac{2}{3}$ 格。

小写字母的格位也可分为六组：a 组占满中格；b 组占满基准线上两格；g 组占满下两格，但 p 的上部与 t 的上部持平；f 组上不顶线约占 $2\frac{2}{3}$ 格；j 组下要抵线约占 $2\frac{1}{2}$ 格；i 组占 $1\frac{1}{2}$ 格。

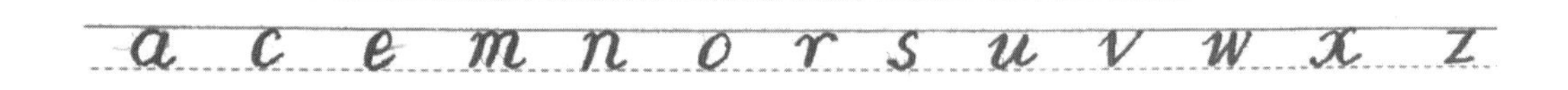

a 组

b d h k l

b 组

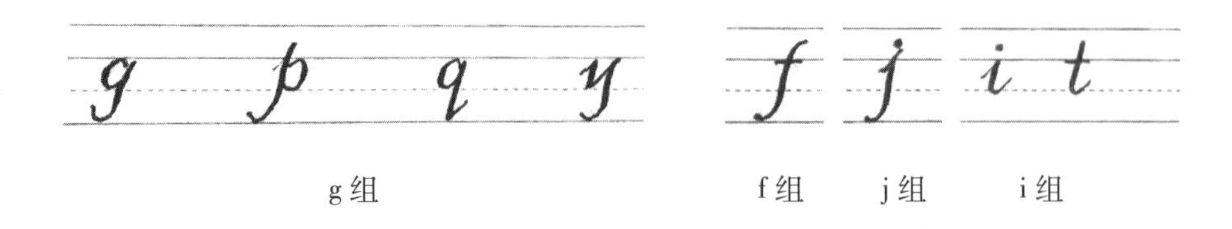

g 组　f 组　j 组　i 组

2．**笔画规则**

1）大写字母

（1）必须一笔或可以一笔完成的字母：

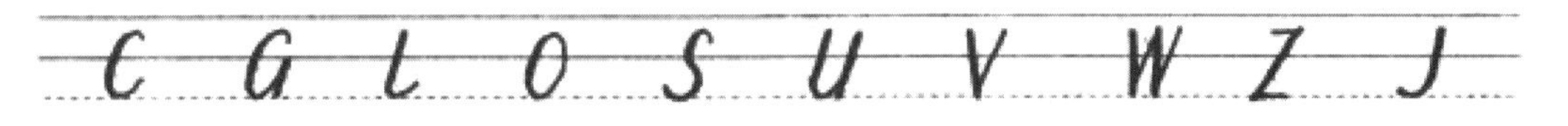

（2）必须两笔或可以两笔完成的字母：

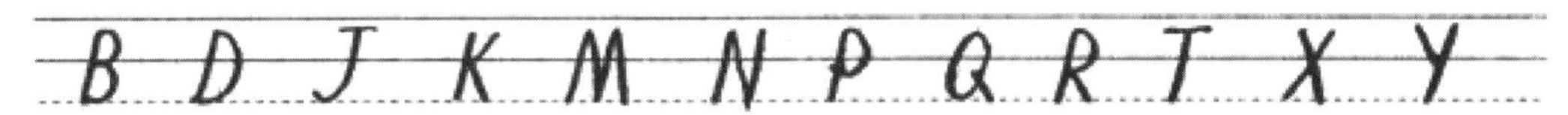

（3）必须三笔或可以三笔完成的字母：

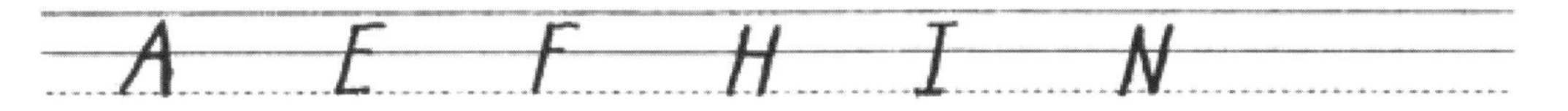

2）小写字母

（1）必须一笔完成的字母：

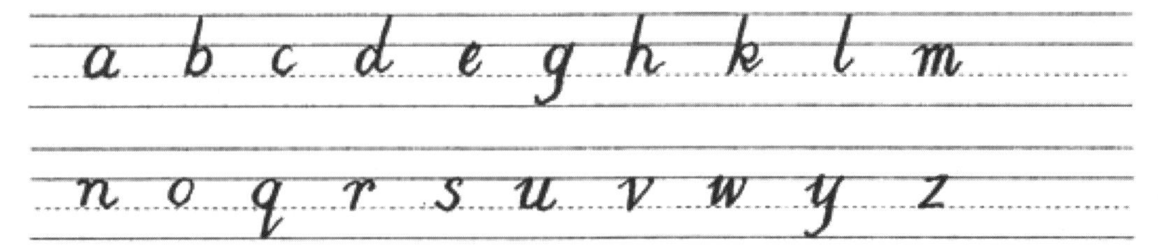

（2）必须两笔完成的字母：

3．**斜度要求**

稍右斜，斜度为8°～10°，且所有字母的斜度要一致。例如：

Never leave that until tomorrow,
which you can do today.

4．**连写规则**

1）不连写

大写字母之间不连写，也不与其后的小写字母连写；小写字母中的b、g、j、p、q、s、y、z不与后面的字母连写。例如：

HELLO! WELCOME TO CHINA!

There Is No Royal Road To Learning.

book glad jeep play quick red

2）直接斜连写

字母 a、c、d、e、h、i、k、l、m、n、t、u 的收笔上挑，正好与 e、i、j、m、n、p、r、t、u、v、w、x、y 的起笔相连，可以直接斜连写。行笔时，前一个字母的落笔由重渐轻，后一个字母的起笔由轻渐重，过渡要自然，以显出线条的流畅。例如：

ae ai cm ci dj di ee hu lv

mn ny ex ur aj ay iv dj ew

3）顺势斜连写

字母 a、c、d、e、h、i、k、l、m、n、t、u 的收笔与 a、c、d、g、o、q 的起笔虽不衔接，但笔顺一致，也可以顺势斜连写。行笔时，前一个字母的收笔稍延长，移动笔尖至后一个字母起笔处，再回笔经过前面字母收笔上挑处，即形成连写。但应注意的是，延长笔画所形成的纤细的"牵丝"不可影响后一字母的主体形态。例如：

aa ag co ca dg do ea ec ha

ho ia iq ko ma mo ng tc ud

4）意连写

b、h、k、l 一般不与前面字母连写，但其前面字母若是 a、c、d、e、h、i、k、l、m、n、t、u 时，由于笔顺一致，可采用意连写方式即跳动笔尖（断笔）至这些字母的起笔处书写，使之笔断"丝"不断。例如：

ab ch dl el hb ib kl mb th

ul al eb il ll tl tb cl ml

5）变字形连写

小写字母 s 一般不与前后的字母连写，但可以通过改变字形，用圆体的写法与前面的有关字母连写，并可与其本身构成双写。注意：改变字形后的 s 不适合单词的首字母书写。例如：

as es is ks ls ms ts us ss

bus has smile stand classical

6）直接横连写

直接横连写是指 f 的第二笔在不影响辨识的情况下与后面的字母连写，旨在节省单词笔画。例如：

7）技术横连写

r、o、v、w 原则上不与位于其后的字母连写，但在实际书写中，为使行书变得更加方便，只要不造成误识，就可以采用技术手段在 r 的收尾处折一个小弯，在 o、v、w 的收笔处加一个回带笔，与其后在第二线起笔的字母构成横连写；如果这四个字母处在单词的末尾，则无此必要。例如：

ra rr oi oo vi vy wo wr

radio voice look heavy worriless

8）补笔

在书写含有 i、j、f、t 或 x 的单词时，一般都要将整个单词一气写成后，再写 i 和 j 的点，f 和 t 的短横或 x 的第二笔，双 f、双 t、ft、tf 的横画一般要一笔写成。补笔的顺序可以从左向右，也可从右向左，以检查有无漏笔，从而养成正确的书写习惯。例如：

Friday—Friday journey—journey

transfer—transfer suffix—suffix

（三）意大利斜体范本

awake become catch drive eaten

fallen given hidden known learnt

mistaken paid ridden sought tore

woken wear worn write written

The failures and reverses which await men and one after another sadden the brow of youth—add a dignity to the prospect of human life, which no Arcadian success would do.

三、英文花体（草书）

英文花体是圆体的装饰性写法，早在 16 世纪，花体便在法国和意大利等拉丁语系国家开始形成并流行开来。

这种字体大多美丽流畅、潇洒飘逸，笔画粗细变化自然、跌宕起伏、婀娜多姿给人以美的感觉，是当今街头广告、商品包装的首选字体。

英文花体和中文草书一样，虽然动劲十足，却有一定的规范。切不可胡写乱画，认为“潦草”和所谓的“龙飞凤舞”就是草书。

相较于意大利体，英文花体大写字母变化较大，而小写字母为连写的方便，有五个改变了字形（即写法），其余主体字形未变。

（一）字母的形态和基本笔顺

1. 大小写字母形态

英文花体一般先要在六线五格书写纸上练习。因六线五格书写练习薄在市面上很难见到，为此，笔者设计出超常规格的英文花体书写纸：六线五格的总高为 16mm，除基准格为 4mm 外其余格为 3mm，每六线五格的间距为 5mm。实践证明应用这种规格的书写纸书写既能写出英文花体大写字母的风格，又能兼顾小写字母笔画粗细变化的效果。以下是英文花体在六线五格书写纸上书写的效果：

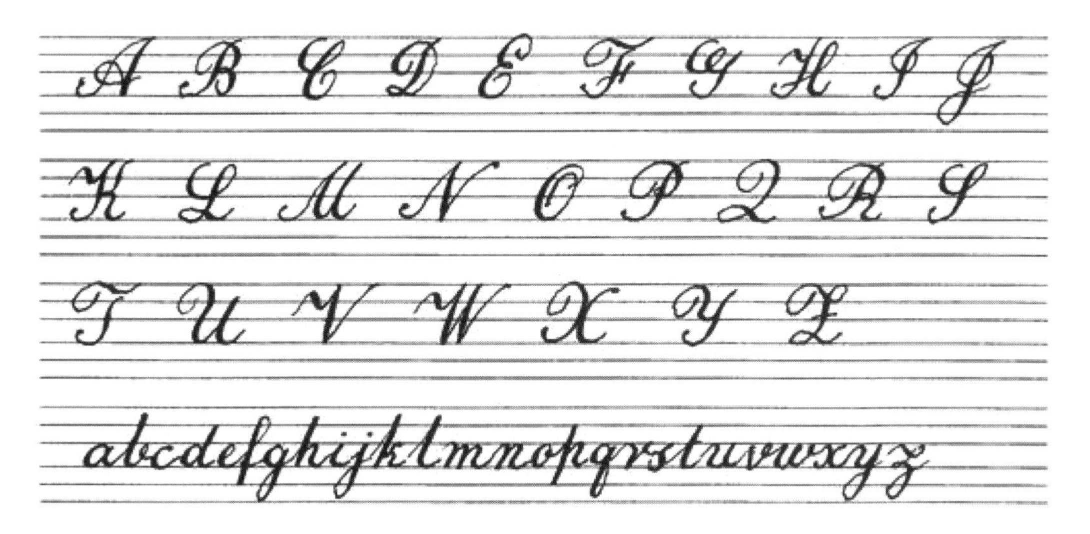

2. 基本笔顺

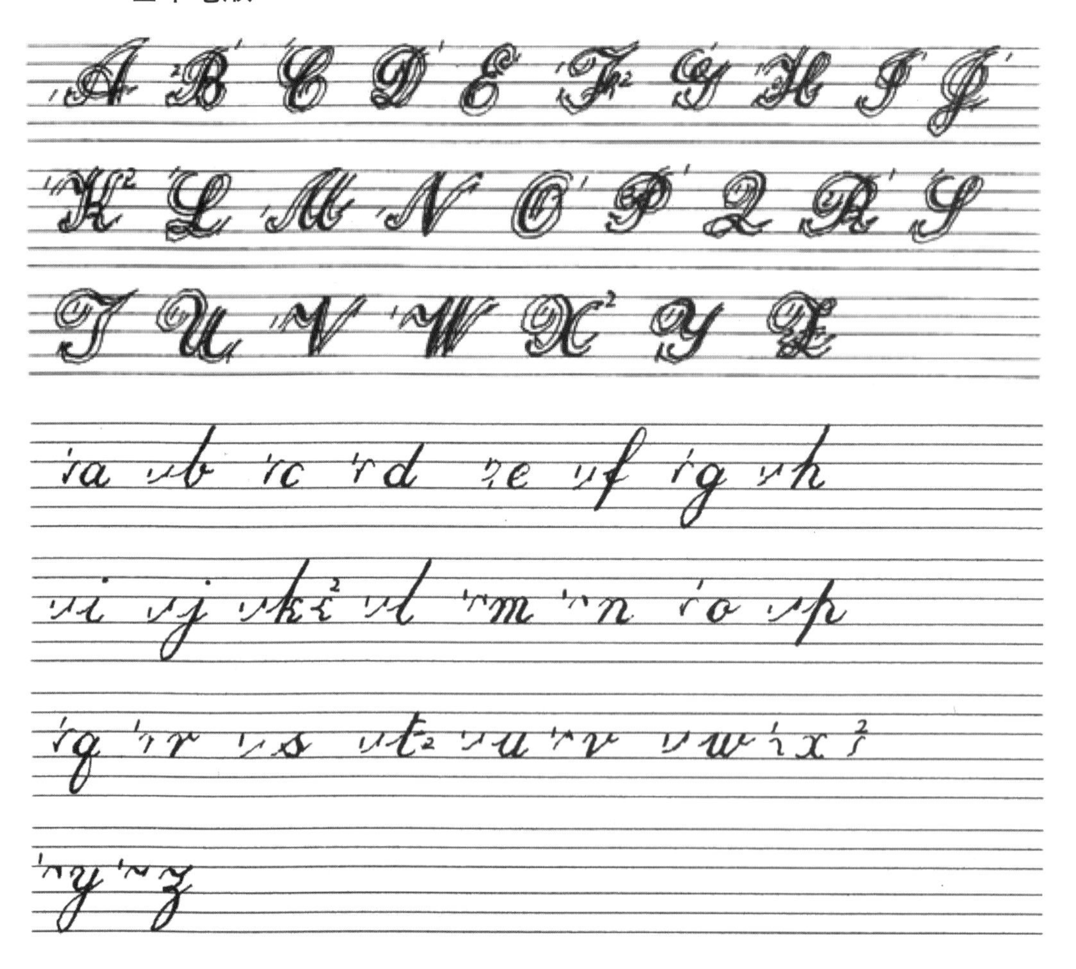

（二）书写规则

1. 格位规则

（1）用六线五格书写纸书写时，英文花体的大写字母除 J 占 $4\frac{1}{2}$格外，其余字母均占满基准线上三格。

（2）小写字母的格位可分为六组：a 组占满中格；b 组占满基准线上三格；g 组占满下三格；i 组占基准线上二格；f 组中 f 占上四格、j 占下四格；p 占中间三格。

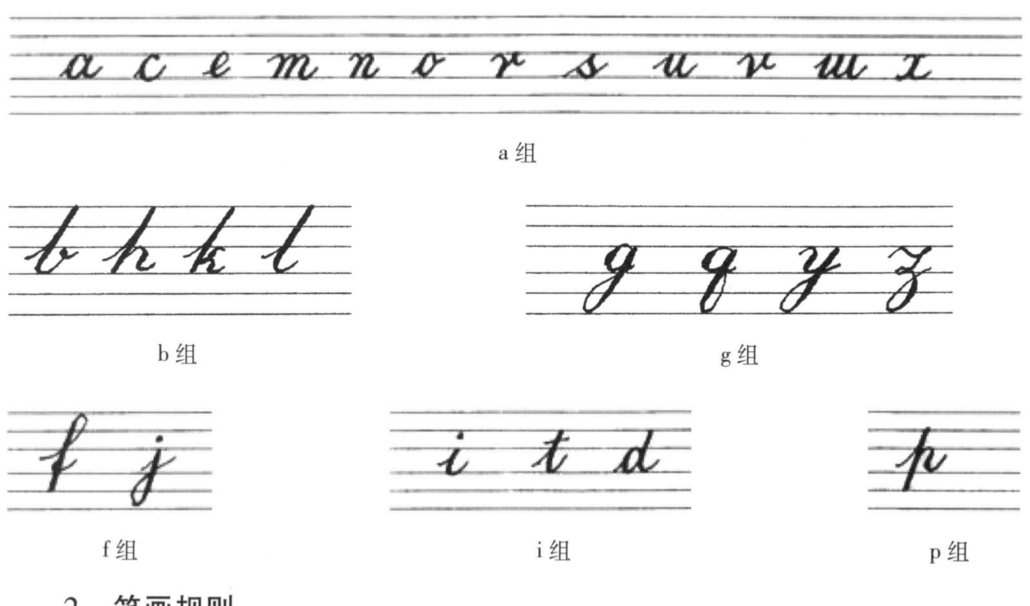

a 组

b 组

g 组

f 组

i 组

p 组

2. 笔画规则

（1）必须或可以一笔完成的字母：

（2）必须两笔完成的字母：

（3）可以和后面的小写字母连写的大写字母：

（4）为了连写的方便，较之于意大利体，改变了字形的花体小写字母：

3. **斜度要求**

英文花体的斜度要求是向右倾斜 30° ～ 35°。例如：

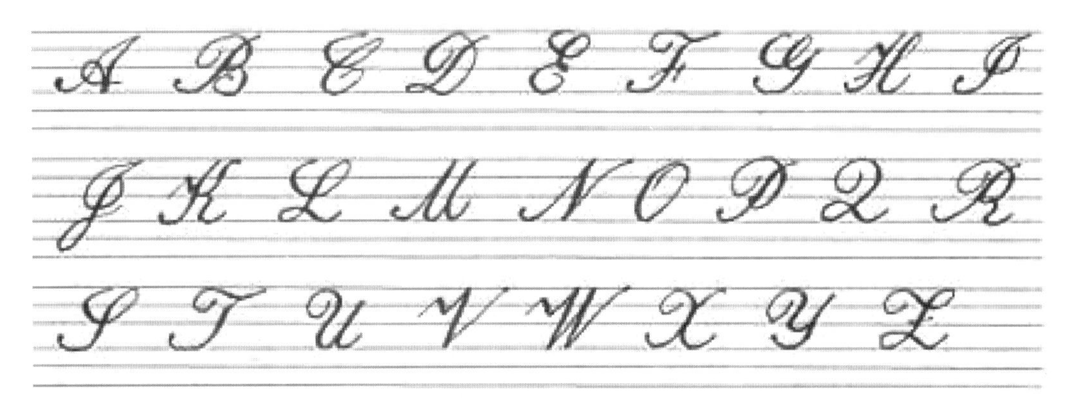

（三）英文花体范本

Do you love life? Then do not squander time; for that's the stuff life is made of.

Towering genius disdains a beaten path. It seeks regions hitherto unex-plored.

四、英文书写的注意事项

前面学了手写印刷体、意大利斜体、英文花体大小写字母的写法。下面我们要讲一下，要把这些字母组成单词、组成句子、组成文章时的相关要求。

1．组成单词

要根据所写字母的字体所占的格位、大小，疏密有致地排列，该连写的连写，不该连写的不连写。

2．组成句子

单词与单词之间的距离要留出一个相同规格小字母“a”的宽度，词距不可留得太小或太大。

3．组成整段、整篇的文章

行距保持在一个小写字母“a”的宽度。标点符号的格位如以下内容所述：

（1）逗号“,”，句号“.”，分号“;”，冒号“:”应写在基准格（中格）内；问号“?”，感叹号“!”取大写字母格位。上述标点的下部均应写在基准线上，且要紧随句末单词后，不可放在一行之首。

（2）撇号“’”用于两个单词连在一起简写时，如 what is 可写成 what’s，撇号“’”的写法和逗号相同，但要写在该词的右上角，书写撇号“’”时前后两个字母不能连写。

（3）省略号“…”写在基准线上，约占 2 个相同规格小写字母“a”的位置；破折号“——”长度相当于 2 个相同小写字母“a”的位置；连字号“-”不宜写长，略小于相同规格一个小写字母“a”的位置，以上两种符号都要写在基准格的正中。

（4）斜线号“/”书写时斜度应把握在 30°左右，格位与大写字母相当，落笔点靠近前面单词最后一个字母。

（6）引号“”‘’书写时，前半部分写在单词的左上角后半部分写在单词的右上角；括号（）〔〕的书写格位与大写字母格位相同，前半部分和后半部分要紧靠被括单词。后引号和后括号不能写在一行的开头，前引号和前括号不能写在一行的结尾。

4. **移行**

两个或两个以上音节构成的单词接近行尾而无法写完时，可在属于前一音节的字母后面加一连字号“-”并将没写完的那部分移至下一行，但如果单词的第一个音节只有一个元音字母则不宜把它留在行末；含有两个相同辅音字母的单词在移行时，一般是把这两个字母拆开，一个跟前一音节留在行末，另一个则跟随下一音节移至下一行首。只有一个音节（含双元音和三元音）的单词则不能移行。

5. **书写格式**

英文的书写格式是从左到右的横式，不像中文毛笔书法作品是从右到左的竖式。如果是整篇文章的英文书法作品还应注意以下要求：

（1）标题文字应居首行之中；

（2）每段抬头应空出四个小写字母“a”的位置；

（3）行首和行首、段首和段首都要对齐；

（4）行尾虽不要求标齐，但有的单词因不能拆开要整词移行时而造成的空缺不宜过大；

（5）选定字体后通篇文章的字体大小和斜度应保持一致；

（6）不同的应用文应按不同的布局书写；

（7）书写英文书法作品时也要像中文书法作品一样注意留天留地，讲究“章法”。

第二部分　用毛笔书写英文花体的技巧、范本及作品展示

一、用毛笔书写英文花体的技巧

英文花体字，笔画粗细变化自然，跌宕起伏、婀娜多姿，正因为它很美，近年来，被广泛用于街头广告和商品包装广告，也是外文书法大赛时采用的首选字体。

用硬笔书写英文花体，写得再好，也超脱不了爬格子的局限，要让它像中文书法艺术一样展示出来，走上大雅之堂，那只有采用毛笔书写来实现了。

笔者经数年探索，将一些心得体会写出来与英文花体书法爱好者们分享。

1. 选笔

如果说蘸水笔是通过按压使笔尖合拢和分开来实现花体笔画的粗细变化，那么，毛笔写花体粗细的变化是靠中锋行笔的按、提手法来实现粗细变化的。

花体的特点是：每个字母的连接如牵丝一样要细，主笔画要宽，且宽与细的过渡要自然。故要求选笔时要注意以下几个方面：

（1）笔头的端部要尖，最好是狼毫，弹性好。

（2）笔头不要过长，要适中；腰根部直径稍大，以便储存饱满的墨水。

2. 选纸

要选半生熟的宣纸，不宜过生（特别是对初学者），生宣洇湿厉害将不便于书写；不宜过熟，虽不洇，但写的字死板不活。选用半生熟的宣纸可促使初学者加快运笔速度，写出动劲十足的英文花体。

3. 书写技巧

开笔后，将笔拿正，用大拇指和二拇指按压笔头，将水分挤出后，再用纸巾包裹，将多余的水分收干净，这样做，可避免因笔头水分过多而使第一个字母洇湿过大。

4. 沾墨

沾墨要饱满，不要只沾笔端，要整个沾，一直沾到笔头根部约二分之一处，但沾后要捺笔，捺笔只捺笔端，捺到将笔端朝下不再有墨滴出且笔端已成尖锐状便尽快起笔书写，这样既能实现初起笔时的笔画的轻细又能保证向宽笔画转换时墨汁的供应。

5. 用毛笔书写英文花体的几个要领

（1）主笔画的中部要重、宽，起笔和收笔一般要轻、细，但要变化自然，不要产生突变；

（2）所有笔画要圆、润，不要有急弯、死弯；

（3）斜度要一致，注意间架结构和各部分的比例。

Calligraphy

[kəˈlIgrəfɪ]

书　法

“Calligraphy” 这个英文词源自希腊语，本意为 “beautiful writing”（优美的书写），从这一意义来讲，它和汉字书法是相通的：“优美、漂亮的书写即书法”。书写的基本要求是：规范、整齐、干净，在这一基础上，写得优美、漂亮，让人看了有一种美感、艺术感。用毛笔写英文花体一开始要讲究规范，而不是乱写乱画，要达到书写的基本要求后，再向漂亮和美努力。

二、用毛笔书写英文花体的范本

（一）用毛笔书写英文字母

起笔先顿出个小圆点后向左行笔，起始处像一条翘起的小尾巴。	起笔轻细中间压，渐收向上再加压，轻轻弯出小尾巴。

注意左边第一笔的末端与第二笔起始部分的对应关系，右边上边的半圆小于下边的半圆。	像L拖出个小尾巴。

注意字母的总体斜度和弧度，轻起笔、轻收笔，主笔画中间加压。	小写c与大写C很相似。

上下圆弧要对应，左右拉开要饱满。

左半部像a的写法，右半部笔行至顶部时，方笔、均匀加压向下，掌握收笔时机。

下面的圆弧大于上面的圆弧，两个圆弧都是轻起轻收，中间加压。

轻起、加压、渐收。

下面第二笔起始处在上面第一笔从左到右约三分之二处注意第二笔画的斜度和末端与第一笔起始部分的对应关系。

注意主笔画的斜度和力度。

<table>
<tr><td></td><td></td></tr>
<tr><td>第一圆弧笔画轻细，第二圆弧中间稍加压，收笔后不要急于加压。</td><td>上半部像小写a的写法，只是该甩出尾巴时笔画向下行。</td></tr>
<tr><td></td><td></td></tr>
<tr><td>注意主笔画的斜度和左右的对称。</td><td>注意主笔画的平行关系。</td></tr>
<tr><td></td><td></td></tr>
<tr><td>注意主笔画的斜度和下收笔末端和起始圆弧的对应关系。</td><td>轻起到顶部就开始加压，适时收笔，再顿出上面的小圆点。</td></tr>
</table>

注意主笔画的斜度和上下的对称关系。	轻起到顶后加压，下行时渐加压渐收笔。

注意左下收笔与上面起始部分的对应关系，右下面的主笔画和左边的主笔画是平行的。	注意左边主笔画，从上到下渐重到中间保持不变，到下边方笔收笔。

注意主笔画的斜度，左右拉开舒展大方。	注意主笔画的斜度，从上到下从轻到重，适时收笔，向右上甩出小尾巴。

M	m
注意第二笔、第三笔的平行关系。	注意第一笔、第二笔、第三笔的平行关系。
	n
注意第一笔的上半部和第二笔的下半部的平行关系。	注意第一笔和第二笔的平行关系。
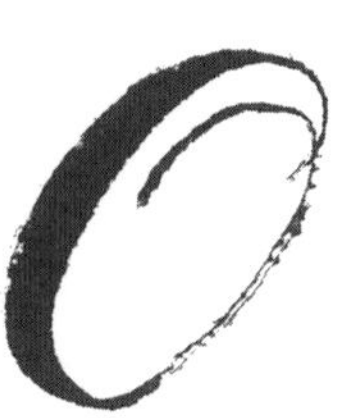	o
注意是椭圆而不是圆。	右上三分之一处起笔，收笔也在此处，向左顿出半圆点再从右下甩出。

第一笔从上到下从轻到重，再从重到轻，收笔像个上翘的狗尾巴且与第二笔的起始部分对应。	欲下先上，方笔起笔宽度不变一有直向下方笔收笔后不抬笔，顺原笔画向上至约三分之二处轻出圆弧再下按、轻收。

第一笔与O等同，第二笔像大海的波浪，轻起、下按、轻收。	起始部分同小写字母a的写法，只是第二笔到顶方笔后一直保持等宽向左下行至三分之一处渐收笔。

注意第一笔画的末端斜度与第二笔画起笔部分的对应关系；最后一笔与第一笔的平行关系。	轻起、打卷、方笔下按、轻收。

注意末端与起始部分的对应关系。	与上一个字母连写的牵丝一定要轻细，后下按、转笔且用力下按收笔。

注意第二笔的末端与第一笔的起始部分的对应关系，第二笔的起始端在第一笔从左向右方向的三分之二处。	轻起向上，方笔向下，笔画宽度不变下行至约笔画的三分之二处向右弯出小尾巴。

注意左右两笔画的平行关系。	注意左右两笔画的平行关系。

V	v
左边一笔重、右边一笔轻。	左边一笔重、右边一笔轻。
W	w
注意左右两部分笔画的平行关系。	注意左右两部分笔画的平行关系。
X	x
注意左右两笔重合部分的处理。	注意左右两笔重合部分的处理。

注意末端与起始部分的对应关系。	最后一笔从下到上，方笔加压同宽下行至二分之一处渐收笔。

左右拉开，舒展大方。	一波三折，笔画同宽向左下后三折收笔。

（二）弟子规（节选）

STANDARDS FOR STUDENTS

Preface Outline

These standards for students are handed down to us by ancient saints and sages. First be filial to your parents and practice true brotherhood then be prudent and trustworthy. Cherish all living beings and draw near to good-hearted people. Whenever you can, learn literature and art.

弟子规

总　叙

弟子规　圣人训　首孝悌　次谨信

泛爱众　而亲人　有余力　则学文

Be Filial to Your Parents at Home

When your parents call you, answer them right away.

When your parents command you, do it quickly.

When your parents instruct you, listen respectfully.

When you parents reproach you, acknowledge your faults.

Keep your parents warm in winter, keep them cool in summer. Greet your parents in the morning to be sure they rest well at night.

第一章　入则孝

父母呼　应勿缓　父母命　行勿懒

父母教　须敬听　父母责　须顺承

冬则温　夏则清　晨则省　昏则定

Inform your parents where you're going and tell them when you're back. Settle down in a permanent place. complete whatever you begin.

No matter how small the affair. don't just do as you please. If you act just as you please. you would not be a dutiful child. Even though an object might be small. do not keep it a secret from your parents. If you do, your parents' hearts will be broken.

出必告　返必面　居有常　业无变
事虽小　勿擅为　苟擅为　子道亏
物虽小　勿私藏　苟私藏　亲心伤

Whatever your parents enjoy. do all you can to provide. Whatever your parents dislike. you should earnestly cast aside.

If your body is hurt. your parents will be worried. If your virtues are compromised. your parents will feel ashamed.

When you have loving parents. it's not hard to be a dutiful child. The true test comes when parents are hateful and cruel.

When your parents do wrong. exhort them to change. Do it with a kind facial expression and a warm gentle voice.

亲所好　力为具　亲所恶　谨为去
身有伤　贻亲忧　德有伤　贻亲羞
亲爱我　孝何难　亲憎我　孝方贤
亲有过　谏使更　怡吾色　柔吾声

If they don't accept, exhort again when they're in a happier mood. You may even use tears to exhort, without complaint if punished.
When your parents are ill, try the medicine before they take. Wait on them day after day, at their bedside by day and night.
For three years after their passing, remember them always in sorrow. Arrage your home to reflect sorrow, no take wine or meat during this period of mourning.

谏不入　悦复谏　号泣随　挞无怨
亲有疾　药先尝　昼夜待　不离床
丧三年　常悲咽　居处变　酒肉绝

Observe the proper etiquette for their funerals; commemorate the anniversaries with utmost sincerity. Serve your departed parents as if they were still alive.

丧尽礼　祭尽诚　事死者　如事生

三、用毛笔书写英文花体的书法作品展示

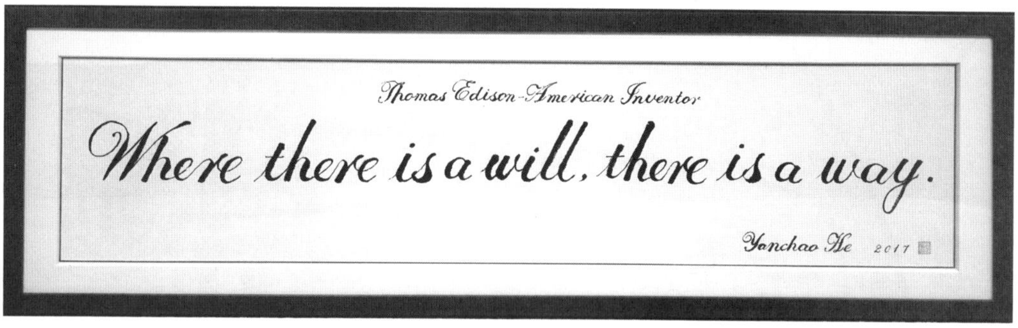

Thomas Edison-American Inventor

Where there is a will, there is a way.

Yanchao He 2017

图 2 – 1

Antoine de Saint Exupery

Real Love
begins where
nothing is expected
in return

Yanchao He 2017

图 2 – 2

Real Love
begins where
nothing is expected
in return
Real Love
begins where
nothing is expected
in return
Yanchao He 2017

图2-3

第三部分　外文书写工具的演变过程和发明专利——外文书法笔的使用

一、外文书写工具的演变

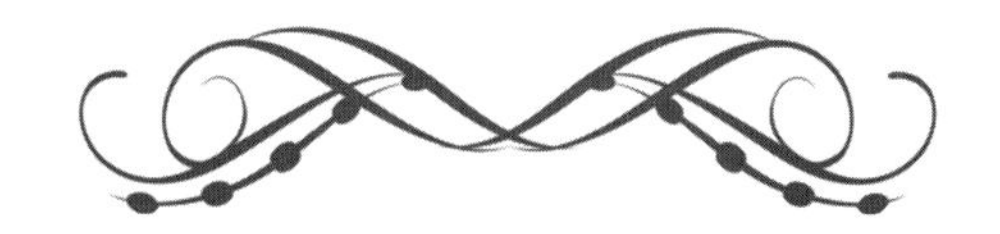

1. 鹅毛管笔

鹅毛管经过去脂处理后，把端部削成斜尖形，再从端部中间划一刀并一直延长至笔头的中部，并在延长线（笔线）的终点钻一小孔，这就是西方人最早期使用的鹅毛管笔（如图 3－1 所示）。

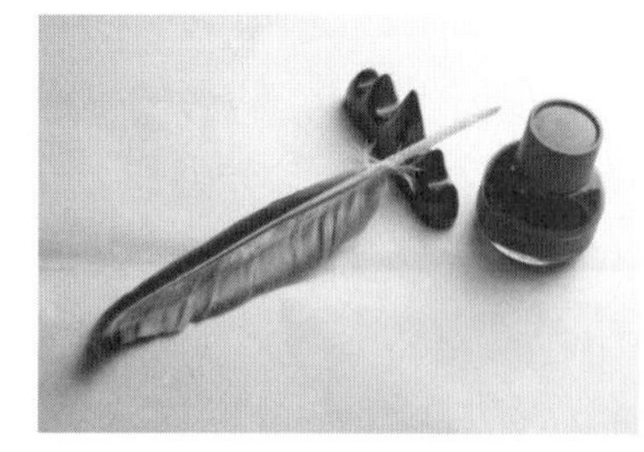

图 3－1　鹅毛管笔

鹅毛管笔外形美观，书写时显得风度潇洒。因此它在欧洲各国风行一时，经历了漫长的历史时期，从中世纪到 19 世纪，鹅毛管笔作为书写工具记录着欧洲文明进程的每一阶段。欧洲许多经典著作中都留下鹅毛管笔不朽的墨迹。在当时，几乎所有的文字著作（宗教、哲学、文学、历史、科学、医学、商业、管理学）无不是依靠鹅毛管笔来完成的。然而第一支鹅毛管笔的由来和出现时期却无从考证，起源于何时何地众说纷纭，但大众普遍认为是西元六世纪时由罗马人发明的。

2. 蘸水笔

1780 年，英国有一名叫哈利斯的人发明了用金属制作的蘸水笔（图 3－2），但由于技术问题，笔尖过硬，容易划破纸面，因而未能得到普遍推广。到了 1829 年，英国的曼彻斯特有个名为詹姆士·倍利的人，又制出了一种新型的金属笔尖，这种笔尖由于经过特殊的加工，使笔尖比较圆滑，书写流畅，所以当时很受人们的欢迎。

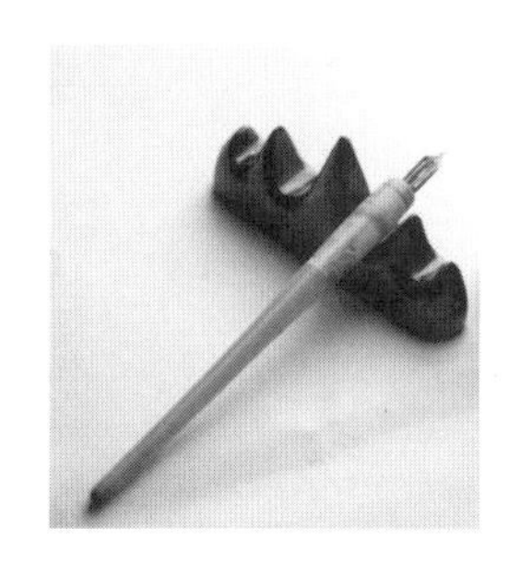

图 3－2　蘸水笔

蘸水笔的笔尖，属于点尖笔尖，即加压后，笔尖从笔线分开形成宽笔画，人们利用这一特点，把它应用于艺术漫画和外文的书写，特别是英文花体的书写。随着工业的发展，工艺的改进，蘸水笔的笔尖种类很多，每种笔尖的软硬程度与弹性大小各有不同。在英国至今还保留着一间制造蘸水笔尖的工厂，我国的有识之士为推动外文书法的开展引进并推广了这种蘸水笔，不少人用这种笔写出漂亮的英文花体书法作品并发表于网络论坛。

3. **平头钢笔**

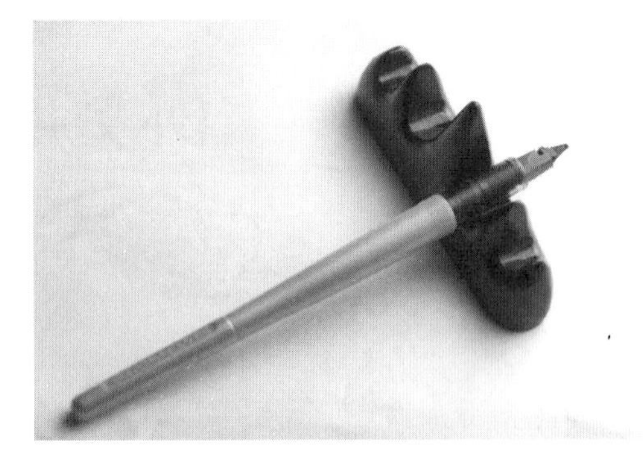

图3－3　平头钢笔

蘸水笔可以写出漂亮的英文，但却有一个致命的缺陷，那就是书写时要频繁地蘸水，而且携带也不方便。有人为克服这一问题，将普通钢笔的笔尖磨平，即所谓的平头钢笔（图3－3）用手腕转动的方法，使书写的英文笔画产生粗细的变化（但用它书写的英文风格和用蘸水笔写出的风格不太一样）。目前，平头钢笔已经商品化，市面有大量平头钢笔销售。

4. **外文书法笔**

图3－4　外文书法笔

作者经多年努力，研制出的用于书写外文的新型钢笔——外文书法笔（图3－4），它的笔尖仍具有蘸水笔尖的功能，可以写出笔画粗细变化的漂亮的英文。不仅不需蘸水，而且携带方便，为外文书法爱好者提供了一款新型的书写工具。

外文书法笔结构如图3－5所示。

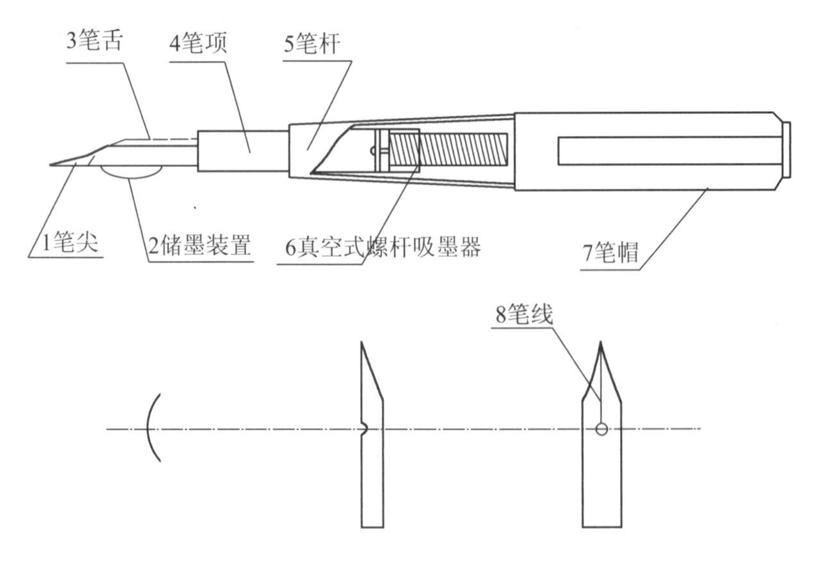

图3－5　外文书法笔结构原理图

二、发明专利——外文书法笔的使用方法

1. 笔帽的打开和闭合

为减少储墨装置内所蓄墨水的挥发，该笔在笔帽部分设置了密封环。故打开笔帽时，不要旋转笔帽，而是正直拔出，不要用力过猛，听到一声清脆的响声，说明密封环已脱开，再轻轻地将笔帽正直拔出即可。闭合时将笔头正直插入笔帽，稍稍用力，听到一声清脆的响声即为合上。

值得注意的是：储墨装置是一个镶嵌在笔头背面呈弧状的金属片，极易受损。拔、合笔帽时要注意到它的存在。

2. 吸墨水

（1）将塑料笔杆拧开，沿反时针方向旋转，将真空式螺杆吸墨器的螺杆推进到底。到底为止，不要再用力旋转。

（2）把笔头放到墨水瓶内使笔头整个浸没在墨水中，约一到两分钟后，沿顺时针方向旋转，将真空式螺杆吸墨器的螺杆慢慢提升到顶部，到顶为止，不要再用力旋转。由于真空的作用原理，墨水被吸入空腔内。

（3）若第一次墨水没吸上来或吸得太少，是因管内有空气造成，需要排一次空。排空的方法是：按住笔头原位不动，反时针旋转螺杆到底。排空后再按上述程序吸墨水。

（4）若使用一段时间后，笔尖下水困难（因空腔内真空度发生变化所致），可将笔尖朝下。当观察到储墨装置的液位已远远低于正常液位（正常液位是1.5mm左右）慢慢沿逆时针方向旋转螺杆使液位正常即可继续书写。

（5）笔内墨水已用完，则按上述程序重新吸墨水。

3. 书写时的注意事项

外文书法笔尖为点尖笔尖，即正常书写时是一条细线，加压后，笔尖张开而形成粗笔画，从而可写出笔画粗细变化自然的外文，为此，书写时应注意以下几点：

（1）写粗笔画时，笔与纸面应呈35°～45°的夹角，以便按压（图3－4）。

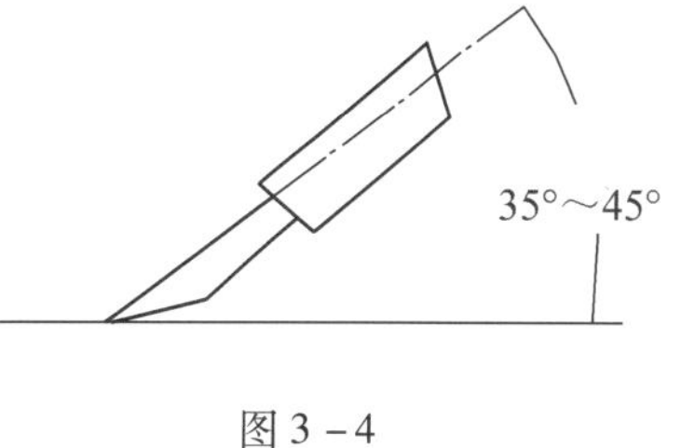

图3－4

（2）写粗笔画时笔线在纸面上的投影和运笔方向基本保持一致（图3－5）。

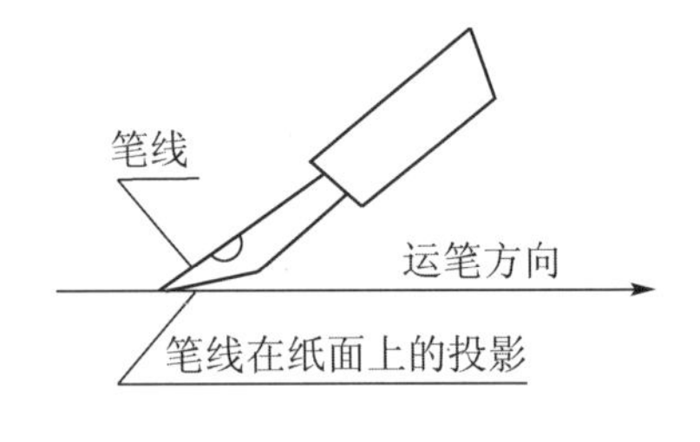

图3－5

三、发明专利——外文书法笔书写作品范本

（一）英文作品范本

Living without an aim is
like sailing without a compass.
(John Ruskin, British writer)

释文：生活没有目标，犹如航海没有罗盘。

（英国作家　约翰·罗斯金）

Do you love life? Then do
not squander time; for that's
the stuff life is made of.
(Benjamin Franklin, American
Politician)

释文：你热爱生命吗？那么，别浪费时间，因为生命是由时间组成的。

（美国政治家　本杰明·富兰克林）

You have to believe in yourself. That's the secret of success.
(Charles Chaplin. Britsh great comedian)

释文：人必须有自信，这是成功的秘密。

（英国喜剧大师　查理·卓别林）

If you wish to succeed, you should regard persistence as your good friend; experience as your reference, prudence as your brother and hope as your sentry.
(Thomas Alva Edison, American Inventor)

释文：如果你希望成功，当以恒心为良友，以经验为参谋，以谨慎为兄弟，以希望为哨兵。

（美国发明家　托马斯·阿尔瓦·爱迪生）

Never leave that until to-

morrow, which you can do today.

(Benjamin Franklin, American

Politician)

释文：今天的事不要拖到明天。

（美国政治家 本杰明·富兰克林）

Happiness lies not in the mere

possession of money. It lies in

the joy of achievement, in the

thrill of creative effort.

(Franklin Roosevelt, American

former president)

释文：幸福不在于拥有金钱，而在于获得成就时的喜悦以及产生创造力的激情。

（美国前总统 富兰克林·罗斯福）

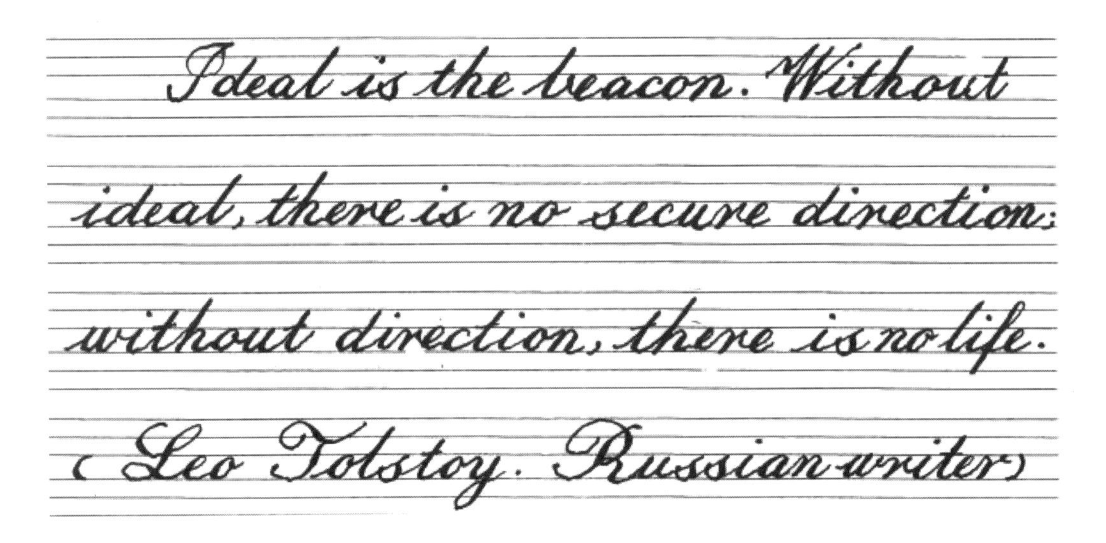

释文：理想是指路明灯。没有理想，就没有坚定的方向，没有方向，就没有生活。

（俄国作家　列夫·托尔斯泰）

Where there is will, there is a way.

(Thomas Alva Edison, American Inventor)

释文：有志者，事竟成。

（美国发明家　托马斯·阿尔瓦·爱迪生）

（二）其他外文作品范本

1. 德语大小写字母书写体

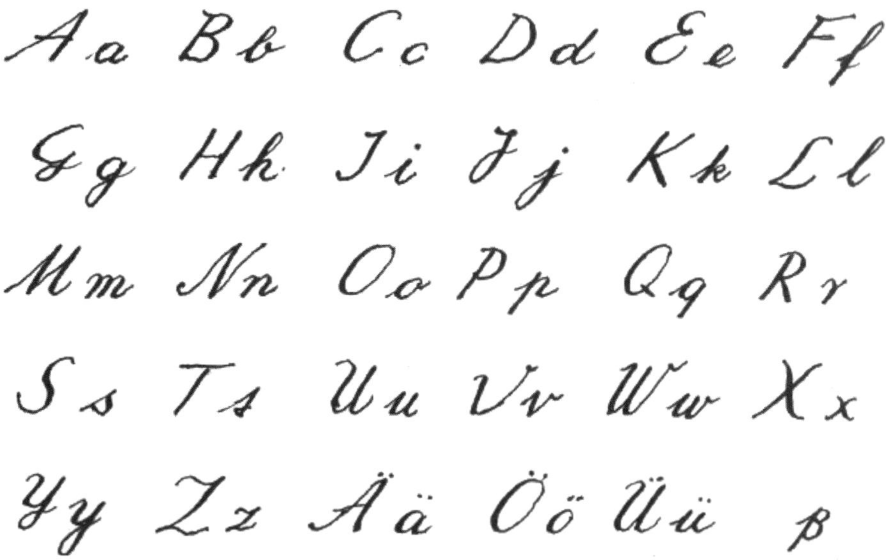

Aa Bb Cc Dd Ee Ff

Gg Hh Ii Jj Kk Ll

Mm Nn Oo Pp Qq Rr

Ss Tt Uu Vv Ww Xx

Yy Zz Ää Öö Üü ß

2. 法语大小写字母书写体

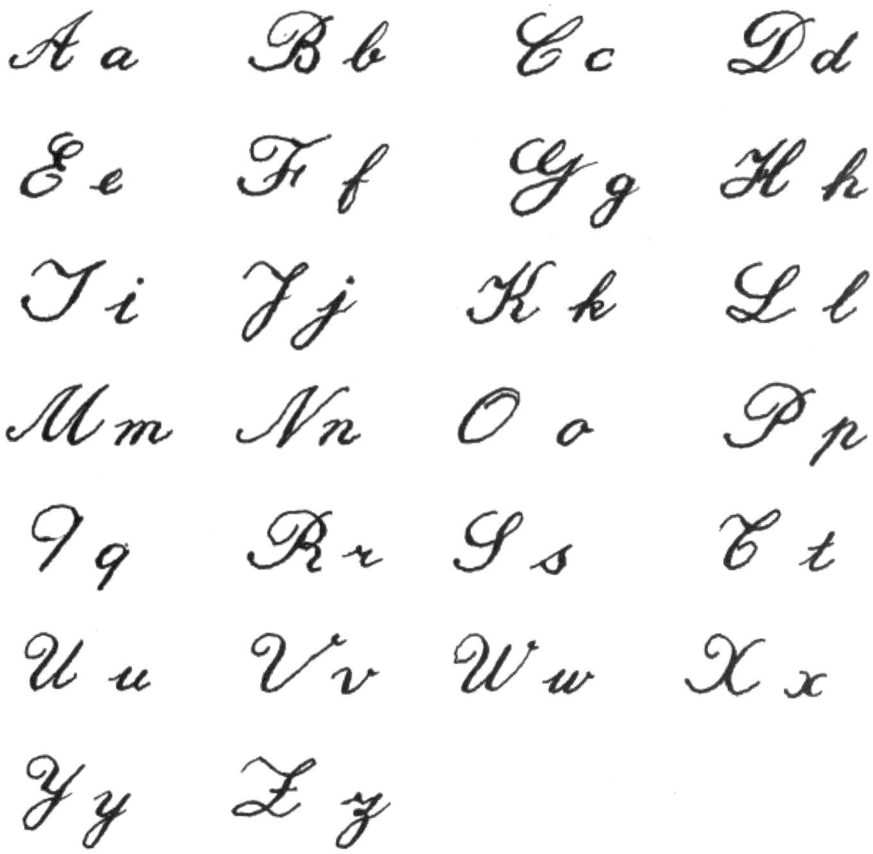

Aa Bb Cc Dd

Ee Ff Gg Hh

Ii Jj Kk Ll

Mm Nn Oo Pp

Qq Rr Ss Tt

Uu Vv Ww Xx

Yy Zz

3. 俄语大小写字母书写体

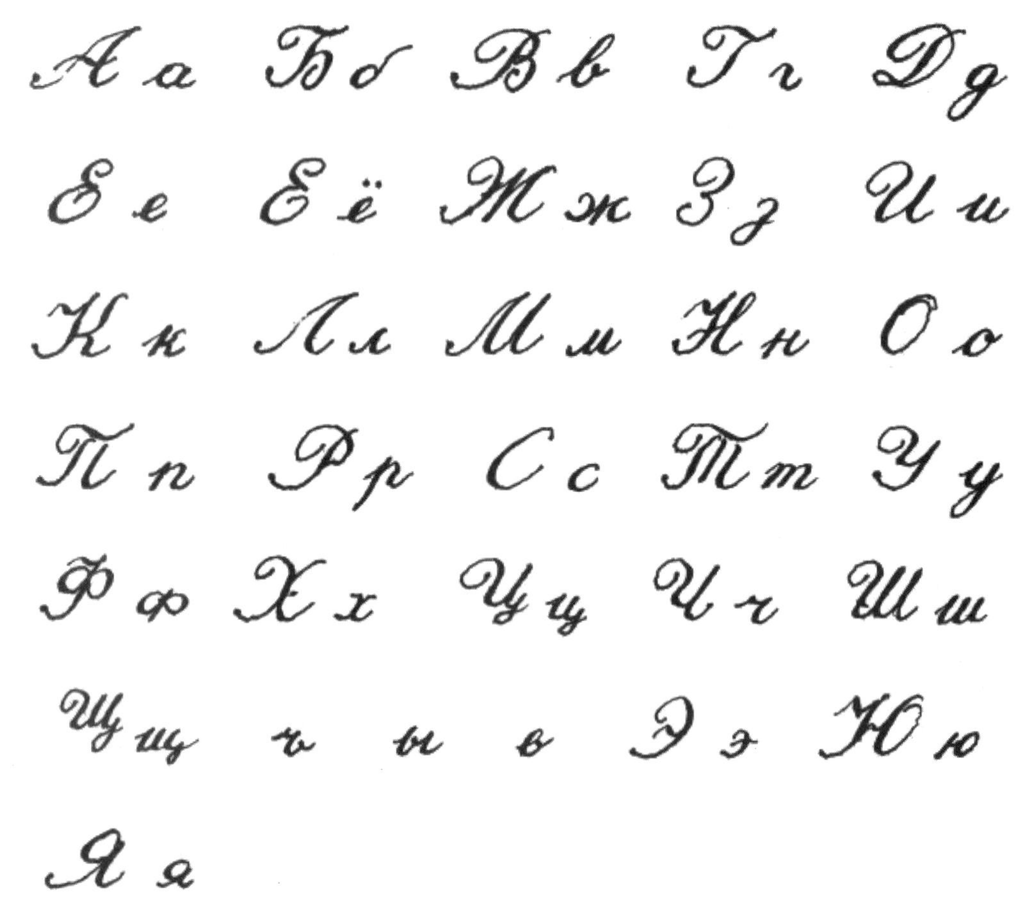

其中：ъ为硬音符号ь为软音符号

4. 希腊文字小写字母的写法

α β γ δ ε ζ η θ ι

κ λ μ ν ξ ο π ρ σ

τ υ φ χ ψ ω

参 考 文 献

1. 张双武. 英文书法指南［M］. 武汉：武汉大学出版社，2000.
2. 于佩安. 漂亮英文［M］. 北京：人民美术出版社，2010 .

附录　外文书法笔发明专利证书

证书号第2577837号

发明专利证书

发明名称：一种钢笔

发　明　人：何延超

专　利　号：ZL 2015 1 0011019.0

专利申请日：2015年01月10日

专利权人：何延超

授权公告日：2017年08月08日

本发明经过本局依照中华人民共和国专利法进行审查，决定授予专利权，颁发本证书并在专利登记簿上予以登记。专利权自授权公告之日起生效。

本专利的专利权期限为二十年，自申请日起算。专利权人应当依照专利法及其实施细则规定缴纳年费。本专利的年费应当在每年01月10日前缴纳。未按照规定缴纳年费的，专利权自应当缴纳年费期满之日起终止。

专利证书记载专利权登记时的法律状况。专利权的转移、质押、无效、终止、恢复和专利权人的姓名或名称、国籍、地址变更等事项记载在专利登记簿上。

局长
申长雨

2017年08月08日

第1页（共1页）